ВОЛШЕБНАЯ АЗБУКА

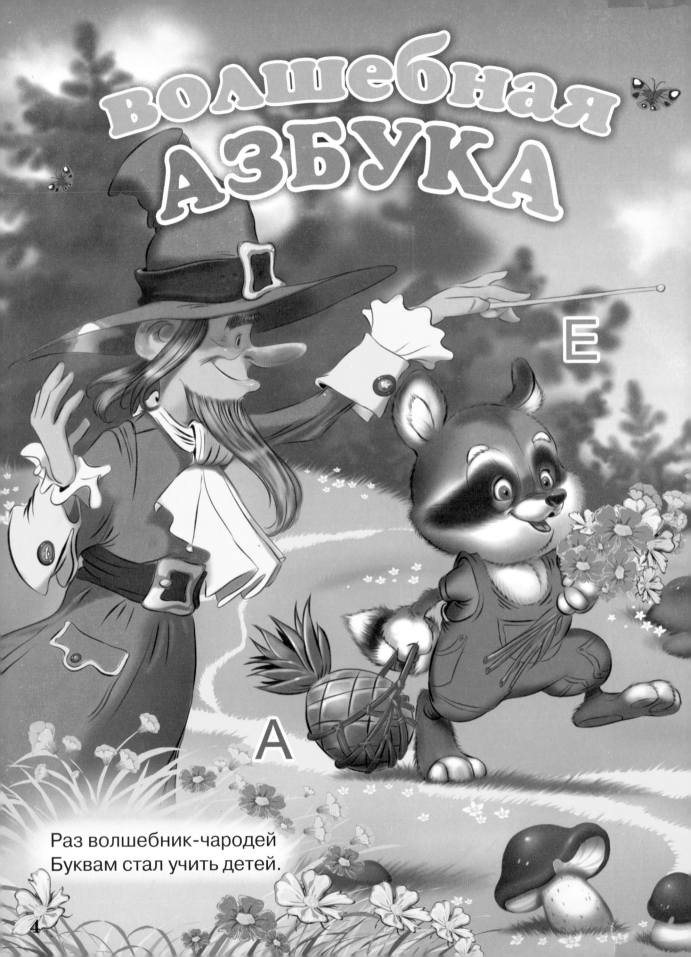

волшебная АЗБУКА

Е

А

Раз волшебник-чародей
Буквам стал учить детей.

Тут же буква **А**
У нас
Превратилась
В а-на-нас.

Буква **Б** –
В большой бу-кет.
Буква **В** –
В ве-ло-си-пед.

Стала буква **Г**
Гар-мош-кой.

Буква **Д** –
Лесной
До-рож-кой,
По которой
Е – е-нот
В гости
К **Ё**-жи-ку
Идёт.

Стала **Ж**
Жи-ра-фом
Длинным.
З – зон-том
У куклы
Зи-ны.

Ж

К

6

Там, где буква
И была,
Появилась вдруг
Иг-ла.

Чтоб иг-лой той
Мудрый **Й**ог
Починить бы
Май-ку смог.

Это – с буквой **К**
Страница.
Белый коз-лик
Здесь резвится.

Где же **Л**?
Да вот она –
Круглолицая
Лу-на.
Букву **М**
Волшебник ловкий
Превратил в пучок
Мор-ков-ки.
Н – в мальчишек
Не-гри-тят.

О – в забавных
О-ле-нят.
П сказала:
– Я – па-на-ма.
Р ответила:
– Я – ра-ма.

С – сне-жин-кой
Закружилась.

Т – те-леж-кой
Покатилась,
А её соседка **У**
Стала ут-кой
На пруду.

Ф – фон-та-ном
В небо
Бьёт.

Х – заводит
Хо-ро-вод.

Стала **Ц**
Ца-рём
Сал-та-ном,
Ч – пузатым
Че-мо-да-ном.

У

Ц

11

Стала шап-кой
Буква **Ш**.
Щ – щен-ком
У малыша.

Твёрдый знак
Без промедленья
Превратился
В объ-яв-лень-е.

Буква **Ы** –
В речной
Ка-мыш.
Мягкий знак –
В шалунью
Мышь.

Э, похожая
На птичку,
Превратилась
В э-лек-трич-ку.
Стала буква **Ю**
Вьюн-ком.
Я – блестящим
Я-корь-ком.

Вот и кончилась игра –
В школу нам идти пора!

УГАДАЙ-КА, ЭТО КТО?

Не спеша шагает с речки,
В шубе ей тепло, как в печке.
Подойдёт она к избе
И зовёт меня:
«БЕ-БЕ!»

Переваливаясь важно,
В воду прыгнули отважно.
И, о чём-то говоря,
В речке плещутся:
«КРЯ-КРЯ!»

Шея, словно знак вопроса,
Не найти длиннее носа.
Смотрит в поле на стога
И кричит он:
«ГА-ГА-ГА!»

Ищут зёрнышки подружки
С хохолками на макушке.
От крыльца недалеко
Раздаётся:
«КО-КО-КО!»

Кот усатый, как разбойник,
Прыгнул через подоконник,
Распугал соседних кур
И мурлыкает:
«МУР-МУР!»

Ходит Зорька по лугам,
Молоко приносит нам.
Жить бы Зорьке в терему,
А она… в хлеву:
«МУ-МУ!»

На скаку, играя гривой,
Скачет быстро он, красиво.
Не догонишь, не дого…
Ишь как скачет:
«И-ГО-ГО!»

Пятачок умоет в луже
И торопится на ужин.
Отрубей я ей сварю,
Скажет мне она:
«ХРЮ-ХРЮ!»

Колокольчиком звеня,
Убежала от меня.
Тает луг в вечерней тьме,
Где искать её:
«МЕ-МЕ!»

ГАВ + ГАВ = 2

У меня учёный пёс –
Пёс по имени Барбос.
Если в чём-то я не прав,
Громко лает он:
«ГАВ-ГАВ!»

25

СЧИТАЛОЧКА

Только солнышко встаёт,
Начинает Галка счёт.

Вот Петух шагает важный.
Петуха узнает каждый:
Шпоры носит господин.
Галка счёт ведёт: – **ОДИН**!

Подбежал к нему Щенок.
Чуть не сбил он Петю с ног…
Вот шальная голова!
Продолжает Галка: – **ДВА**!

За Щенком пришёл Котёнок,
Полосатый, как тигрёнок.
А глаза, как фонари.
Говорит нам Галка: – **ТРИ**!

Из крапивы вылез Гусь:
«Никого я не боюсь…
Я храбрей всех в целом мире!»
Щурит Галка глаз: – **ЧЕТЫРЕ**!

Пробежала лишь минутка,
На тропинку вышла Утка.
Стала Галка прибавлять,
Получилось ровно **ПЯТЬ**!

У реки догнал их Ёж,
Что на ёлочку похож.
Объявила Галка всем:
– Вас теперь, ребята, **СЕМЬ**!

За ежом пришла Коза –
Любопытные глаза.
Говорит ей Галка: – Фрося,
Я тебя считаю: **ВОСЕМЬ**!

Кто там спрятался за кустик?
Кто свистит там? Это – Суслик!
Он решил игру затеять.
Посчитала Галка: – **ДЕВЯТЬ**!

Зажужжала тут Пчела.
В хоровод всех позвала.
– **ДЕСЯТЬ**! – всех считает Галка.
Вот и кончилась считалка.

ВЕСЁЛЫЙ КАЛЕНДАРЬ

ЯНВАРЬ

У зверят сегодня бал –
Новогодний карнавал.
Пляшут хвостики и ушки,
Пляшет ёлка на опушке.

ФЕВРАЛЬ

Встала Мышка на коньки –
Ни малы – ни велики…
На замёрзшей лужице
Фигуристка кружится.

41

МАРТ

Тает снег, и тает лёд,
Мамин праздник настаёт.
Дарит маме Барсучок
Вербных веточек пучок.

АПРЕЛЬ

По реке плывёт кораблик,
А на нём – весёлый Зяблик.
Поднимает паруса –
Уплывает в небеса.

МАЙ

Скачет, словно мячик,
Длинноухий Зайчик.
Хочет радугу достать,
Через радугу скакать.

ИЮНЬ

На цветущую полянку
Шмель явился спозаранку.
Ищет розовую кашку,
Наполняет мёдом чашку.

ИЮЛЬ

Ветерок качает липку,
Достаёт Кузнечик скрипку.
До заката, до темна
Будет музыка слышна.

АВГУСТ

Добрый Мишка, точно в срок,
Сплёл Бельчонку кузовок –
Для грибов, для яблок,
Для душистых ягод.

СЕНТЯБРЬ

Жёлтый лист летит, как птичка.
На урок спешит Лисичка.
Новый ранец за спиной,
Ранец с азбукой цветной.

ОКТЯБРЬ

С каждым днём в лесу темней,
Дождик падает с ветвей.
На прогулку без галош
Не выходит умный Ёж.

НОЯБРЬ

В печке щёлкают дрова,
Вяжет варежки Сова.
А в окно зима глядит,
Торопиться ей велит.

ДЕКАБРЬ

Мчатся сани расписные,
В санках – жители лесные.
Между елей да берёз
Их катает дед Мороз.

ВЕСЁЛЫЕ СТИШАТА

ТО В ЛЕСУ ЖИВЁТ

ЗАЯЦ

Прокатился шум лесной,
Под кустом притих косой.
Уши длинные прижал…
Долго эхо провожал.

МЕДВЕДЬ

По завалам, по оврагам
Ходит зверь хозяйским шагом.
Любит он душистый мёд
Да малину с веток рвёт.

БЕЛКА

Белка – с кисточками ушки –
Гриб увидит на опушке –
Прыг за ним с густых ветвей
И несёт домой скорей.

КАБАН
Опускается туман,
Просыпается кабан.
Роет землю у реки,
Точит острые клыки.

БОБР

В тихой заводи речной
Бобр построил дом весной.
Без пилы и топора
Дом построен у бобра.

ЁЖ

Серый ёжик весь в иголках,
Словно он не зверь, а ёлка.
Хоть колюч молчун лесной –
Ёжик добрый, а не злой.

ЛОСЬ

Лось – рога ветвистые,
Да копыта быстрые.
Головой качая, он
Задевает небосклон.

ВОЛК

День и ночь по лесу рыщет,
День и ночь добычу ищет.
Ходит-бродит волк молчком,
Уши серые – торчком.

ЛИСА

Знает лисонька-лиса:
В шубе вся её краса.
Шубы нет в лесу рыжей,
Зверя нет в лесу хитрей.

БАРСУК

Встанет за полночь барсук,
Обойдёт свой дом вокруг.
Острый нюх и зоркий глаз –
Наступил охоты час.

МОЙ ЛЮБИМЫЙ ЗООПАРК

ЛЕВ

Льва увидишь – сразу ясно:
Царь зверей, шутить опасно.
Грозный вид и грозный рык,
Даже гривы не подстриг.

СЛОН

У слона большие уши,
Как гора огромен слон.
Равных нет ему на суше:
Слон по весу – чемпион.

БЕГЕМОТ

Петь задумал бегемот
И открыл огромный рот.
Но не слышно в песне слов,
Слышен только страшный рёв.

ЗЕБРА

Любит зебра по лужайке
В полосатой бегать майке.
Зебра даже за конфетку
Не наденет майку в клетку.

ГОРИЛЛА

Нас, конечно, удивила
Африканская горилла.
Всё от пяток до бровей
У горилл, как у людей.

МАРТЫШКА

И девчонкам, и мальчишкам
Корчит рожицы мартышка.
В зоопарке без детей
Жить бы грустно было ей.

ТУКАН

Из далёких южных стран
В зоопарк попал тукан.
Сообщить тук-тук он рад:
– Я – лесному дятлу брат!

КЕНГУРУ

Кенгурёнка поутру
Моет мама кенгуру,
Моет лапки, моет хвостик:
– Видишь, к нам шагают гости.

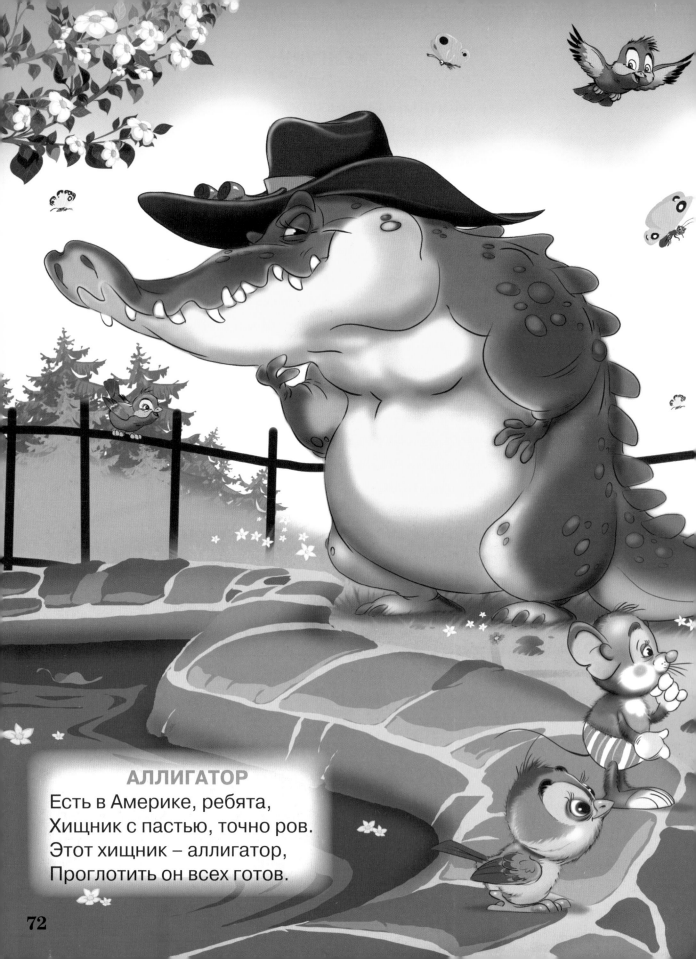

АЛЛИГАТОР

Есть в Америке, ребята,
Хищник с пастью, точно ров.
Этот хищник – аллигатор,
Проглотить он всех готов.

НОСОРОГ

Не бывает так, чтоб нос
Рос не вниз, а вверх бы рос.
Лишь у зверя носорога
Вверх растёт он в виде рога.

КАК ЖИВЁТЕ? ЧТО ЖУЁТЕ?

– Кони, кони, как живёте?
Кони, кони, что жуёте?
– Хорошо пока живём,
На лугу траву **ЖУЁМ**.

– Куры, куры, как живёте?
Куры, куры, что жуёте?
– Хорошо пока живём,
Но, простите, не жуём.
Мы **КЛЮЁМ** проворно
На тропинке зёрна.

– Козы, козы, как живёте?
Козы, козы, что клюёте?
– Хорошо пока живём,
Но, простите, не клюём.
А **ДЕРЁМ** мы поутру
С молодых осин кору.

– Как вы, кролики, живёте?
Что вы, кролики, дерёте?
– Хорошо пока живём,
Но, простите, не дерём,
А **ГРЫЗЁМ** мы ловко
Свежую морковку.

– Вы, котята, как живёте?
Что, котята, вы грызёте?
– Хорошо пока живём,
Но, простите, не грызём.
ПЬЁМ мы понемножку
Молоко из плошки.

– Птицы, птицы, как живёте?
Птицы, птицы, что вы пьёте?
– Хорошо пока живём,
Дождевые капли пьём
И **ПОЁМ** мы песни вам
По утрам и вечерам.

ВЕСЁЛЫЕ СТИХИ

УРОК НА ЗЕЛЁНОЙ ВЕТКЕ

Выпрыгнули детки
Утром за порог.
На зелёной ветке
Начался урок.

Встали по порядку:
Три-четыре-пять…
Делают зарядку.
Учатся летать.

88

ЁЖИК И ДОЖДИК

Ёжик, ёжик,
Видишь: дождик
Так и льёт
Как из ведра.
Может, на небе дыра?

Что сидеть без толку?
Доставай иголку.
По тропинке
В горку
Топай,
Дырку на небе
Заштопай.

КОЛОКОЛЬЧИК

О чём колокольчик
Звенит на лугу?
Ответить на это
Я вам не могу.
Но думаю так:
Зазвенит он с утра,
И слышат цветы –
Просыпаться пора.

ТРУСИХИ

На старой кадушке
Сидели лягушки,
Зелёные ушки,
Тупые макушки.
Я к ним подошёл,
Они в воду – бултых!
И нечего больше
Сказать мне про них.

ОСЛИК

Встал на ножки малышок
И зацокал: цок-цок-цок!
– Цок-цок-цок! – звенят копытца.
– Мы к реке идём напиться.
Сверху – ушки, сзади – хвостик,
А всё вместе – просто ослик.

ОБЛАКО-ОВЕЧКА

В небе облако гуляло,
А потом овечкой стало.
Белою овечкой
Над прохладной речкой.

ЖУЧКА И ТУЧКА

Тучка по небу плыла,
Жучка домик стерегла.
Маленькая тучка,
Маленькая Жучка.

Тучка в дождик превратилась,
Жучка дождиком умылась.
Маленькая тучка,
Маленькая Жучка.

Тучка в синем небе тает,
Жучка грустно вслед ей лает:
– До свиданья, тучка!
– До свиданья, Жучка!

ЧУДЕСНЫЙ ПАРОХОД

УЧИМСЯ БЫТЬ ПРИМЕРНЫМИ

ВЕЖЛИВЫЙ ПОНИ

В ожидании трамвая
Встала очередь живая:
Первым – Пони,
Дальше – Свинка,
Свинка
С розовой корзинкой.

100

Мишка
С книжкой,
Кот с гармошкой
И Наседка с поварёшкой...

Кто же первым был в вагоне?
Пони? Нет, друзья,
Не Пони.
Он последним
Сел в вагон,
Потому что
Вежлив он.

СЛОН-ПРИВЕРЕДА

Собирался в гости Слон,
Покупал ботинки он.

– Эти – слишком высоки,
Мне они не нравятся.
А у этих каблуки
Того гляди отвалятся.

Эта мне модель подходит,
Но в таких Жирафчик ходит.
А в зелёных – Бегемот,
Вот...

Эти, чтоб они блестели,
Надо чистить каждый день.
Ну, а мне вставать с постели
По утрам бывает лень.

Лучше в старых похожу
Или дома посижу.

ВОРЧАЛКА-ВЫРЧАЛКА

Целый день твердит Овечка
Очень странное словечко.
От рассвета до темна
«Выр-выр-выр» ворчит она.

– Выр-выр-выр, – плохое мыло,
Даже носик не умыло.
– Выр-выр-выр, – невкусный сыр,
Слишком много в сыре дыр.

– Выр-выр-выр, – ворчит Овечка,
Что скрипит её крылечко,
Что не спит всю ночь Луна,
А овечка – спать должна.

«Выр-выр-выр» – прилипло к ней
Это слово, как репей.
– Выр-выр-выр, – кричит ей Галка, –
Не Овечка ты – выр-чалка!

ИМЕНИНЫ У АРИНЫ

У бабушки Арины
Сегодня именины.
Все пять её друзей
Спешат на помощь к ней.

Сверчок ей топит печку
И песенку поёт.
За рыбкою на речку
С утра шагает Кот.

Забавный Паучок
Плетёт половичок.

Щенок по кличке Тишка
Сор гонит за порог.
А маленькая Мышка
Затеяла пирог.

У бабушки Арины
Сегодня именины.
Все пять её друзей
Желают счастья ей.

ВЕСЁЛЫЙ ТРАНСПОРТ

МОЛОЧНАЯ МАШИНА

Молочная машина
По городу идёт.
Корова Катерина
Машину ту ведёт.

Сияет солнце ярко,
Аж боязно взглянуть.
К воротам зоопарка
Корова держит путь.

Она кричит тигрятам
Уже издалека:
– Ко-му налить, ребята,
Парного молока?

Вот домик Обезьянки.
Вот Ёжик у крыльца…
Ко-му налить сметанки?
Ко-му дать варенца?

Не зря же я всё лето
Ходила на лужок.
Ну, чистая конфета
Катюшин творожок!

ПАРОВОЗ

Паровоз: тук-тук,
Паровоз: друг-друг
По утрам зверят
Возит в детский сад:

В детский сад – Тигрёнка.
В детский сад – Козлёнка.
В детский сад – пушистого
Жёлтого Цыплёнка.

Машинист в фуражке
Сигналит Черепашке:
– Ваш вагон сегодня пятый,
С вами едет Кот усатый.

А седьмой вагон
Занимает Слон.
От стены и до стены –
Вот какой ширины!

Паровоз: тук-тук,
Паровоз: друг-друг,
В детский сад с утра
Едет детвора.

ЧУДЕСНЫЙ ПАРОХОД

К берегу причалил
Чудесный пароход.
Высыпал на берег
Радостный народ.

На самокате едет Слон,
Огромной шляпой машет он.

За ним – Тигрёнок-акробат,
Он кувыркаться с детства рад.

Жонглируют кокосами
Мартышки длинноносые.

А Бегемоты-силачи
Бросают гири, как мячи.

Шагают по канатам
Оранжевые львята.

Встал на ходули Пеликан
И закричал: – Я великан!

А ты кто будешь, Мишка?
– Я – клоун Торопыжка.

Жираф по небу носом – чирк,
И написал на небе: ЦИРК!

КОЛЫБЕЛЬНЫЕ ПЕСЕНКИ

ДИЛИ-ДОН

По домам – дили-дон –
Ходят Дрёма и Сон.
Ходят-бродят по ночам,
На реснички дуют нам,
Чтобы мы в кроватках
Спали сладко-сладко.

БАЮ-БАЙ

Мама зайчика качает:
Баю-бай!
Мама белочку качает:
Баю-бай!
Под кусточком и на ветке:
Баю-бай! –
До утра уснули детки:
Баю-бай!

ЗОЛОТЫЕ РОЖКИ

Ходит в небе месяц –
Золотые рожки.
Говорит он Пете,
Говорит он Свете:
– Поскорее глазки
Закрывайте, дети.
Вот так.

Зайка голову склонил
И на лапки уронил.
Вот так...

В уголок сложив игрушки,
Мишка топает к подушке.
Вот так...

Даже серый волк-волчок
Лёг послушно на бочок.
Вот так...

137

МОЙ КОТОЧЕК

Спит давно усатый котик,
Баюшки-баю.
Закрывает лапкой ротик,
Баюшки-баю.
У него постель пухова,
Баюшки-баю.
Одеялочко шелково,
Баюшки-баю.
Спи и ты, мой голубочек,
Баюшки-баю.
Мой сыночек, мой коточек,
Я тебя люблю.

СОДЕРЖАНИЕ

ЧУДЕСНЫЙ ПАРОХОД

Серия "Любимые сказки малышам"

Владимир Степанов
СТИХИ МАЛЫШАМ

*

Редактор Т. Рашина
Дизайн обложки ООО "Форпост"
Вёрстка Н. Шелюх
Корректор М. Лысая

*

Для чтения родителями детям
Торговое представительство:
Ростов-на-Дону
тел. (863) 230-40-21, факс: 230-40-23
E-mail: book@prof-press.ru
http://www.prof-press.ru

Донецк (Украина)
тел. (0622) 58-17-97
E-mail: ppress@ukrpost.ua

Код по классификации ОК 005-93 (ОКП) 95 3000. Книги и брошюры.
Санитарно-эпидемиологическое заключение
№ 61.РЦ.10.953.П.007352.12.07 от 21.12.2007 г.
Подписано в печать 19.10.2009. Формат 84 x 108/16. Бумага офсетная. Печать офсетная. Гарнитура «Школьная».
Усл. печ. л. 9. Заказ№ 383. Тираж 18 000

Для писем:
Издательский Дом «Проф-Пресс», а/я 5782,
Ростов-на-Дону, 344019, редакция.